绘声绘色精选图画书

# 小·猪，别哭了

[日]加藤洋子/文　[日]宫西达也/图　朱自强/译

青岛出版社
QINGDAO PUBLISHING HOUSE

有一个地方，住着一只爱哭鼻子的小猪。

打了架，他会哭。

被训斥了，他会哭。

跌倒了，他会哭。

扑通！

有一天，小猪正哭着，

滴答，滴答，下起雨来了。
"咦，这么晴的天会下雨？"
小猪自言自语地说。
就在这时——

"哇——哇——"
树竟然哭了起来。
"你、你怎么了？为什么要哭啊？"
小猪吃惊地问道。

"因为我觉得你好可怜啊。
我一直在看着你，
可是，你哭的时候，
我却不能为你做什么。
哇——"
结果，小猪被浇得湿淋淋的。

"没事，我才不在乎呢。
你不用哭了。"

"真的吗？你真的没事吗，
爱哭鼻子的小猪？"
"不对！我才不爱哭鼻子呢！"
小猪害羞起来，
像逃跑似的走掉了。

可是，第二天，
小猪又一副要哭的样子，
跑去找那棵奇怪的树。

"今天，我和朋友吵架了，
呜呜……"
尽管小猪想忍住哭，
可是，因为觉得委屈，
眼泪还是涌了出来。
就在这时——

"哇——"哗哗——
"哇——"哗哗——
树先哭了起来。
"本来是我要哭的啊……"
小猪因为很吃惊，
就止住了眼泪。

可是，树还在哭。
"哇——"哗哗——
结果，小猪
又被浇得湿淋淋的。
"小猪真可怜……"
哗哗哗——
"没事，我才不在乎呢，
你不用哭了。"

这么说着说着，
小猪真的觉得
自己没事了。

过了一天，
小猪脸上笑眯眯的，
因为他与朋友和好了。
"你看，我已经没事了吧？"
小猪高兴地朝树跑过去……

扑通!

扑通! 小猪跌倒了。
"好疼好疼, 呜……"
小猪刚要哭——

"哇——"哗哗——
树又先哭了起来。
"等一等,
疼的可是我呀。"
"可是,你是因为
想快点儿见到我,
跑啊跑,才跌倒的。
真可怜。"
结果,小猪又是
湿淋淋的了。

"我不疼了，
所以你别哭了。
嘿嘿嘿。"
小猪笑了起来。
"真的?
啊，太好了。"
树也笑了起来。
两个人成了
非常要好的朋友。
他们一在一起，
就高兴得忘了时间。

刚入冬的一天，
小猪与树说了半天的话，
累得睡着了。
不知什么时候，
天黑了，下起雪来。
"这可怎么办？
这样下去，小猪会冻僵的。"

"啊，有了！"
一片、两片，
树开始让树叶
飘落下去。

三片、四片、五片，
树叶不停地飘落下去。

树不是落眼泪，
而是落下许许多多的树叶，
飘落到小猪的身上。
轻柔的树叶温暖着
小猪的身体。
洁白的雪把四周都包裹起来。

天亮了。
小猪睁开眼睛：
树上的叶子，
已经落得一片不剩。

"哎，你怎么了？"
树没有回答。
"哎……为什么？
你为什么不说话啊？"
小猪的眼里
泛着泪水。

"为什么，
为什么呀……
呜、呜、呜，
呜——"
不管小猪怎么哭，
树也不再答话。

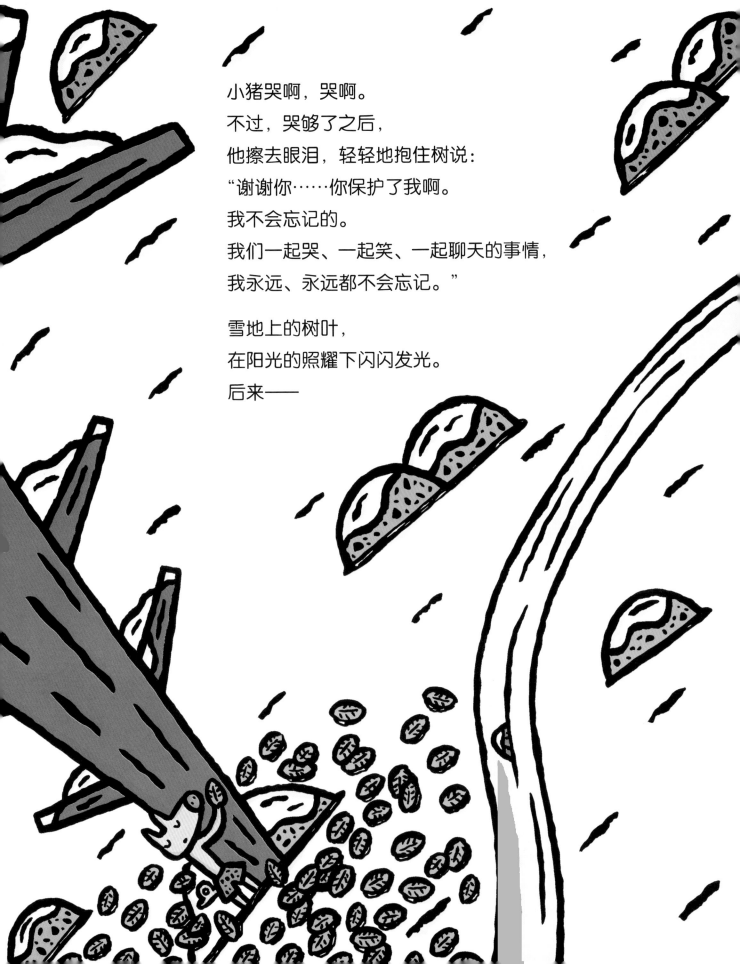

小猪哭啊，哭啊。
不过，哭够了之后，
他擦去眼泪，轻轻地抱住树说：
"谢谢你……你保护了我啊。
我不会忘记的。
我们一起哭、一起笑、一起聊天的事情，
我永远、永远都不会忘记。"

雪地上的树叶，
在阳光的照耀下闪闪发光。
后来——

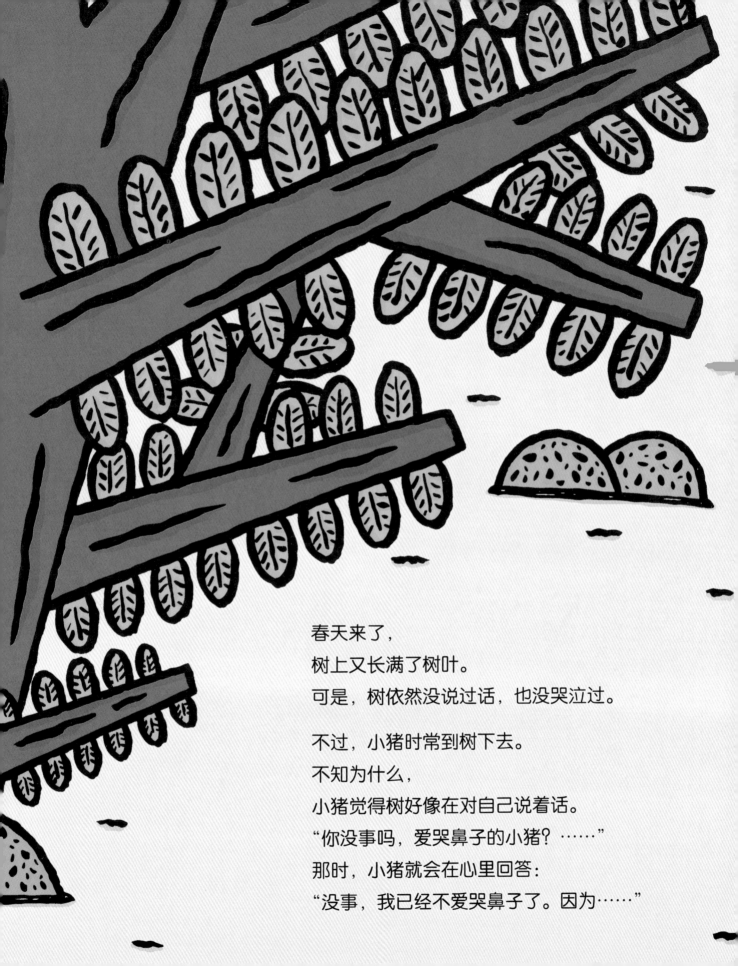

春天来了，
树上又长满了树叶。
可是，树依然没说过话，也没哭泣过。

不过，小猪时常到树下去。
不知为什么，
小猪觉得树好像在对自己说着话。
"你没事吗，爱哭鼻子的小猪？……"
那时，小猪就会在心里回答：
"没事，我已经不爱哭鼻子了。因为……"

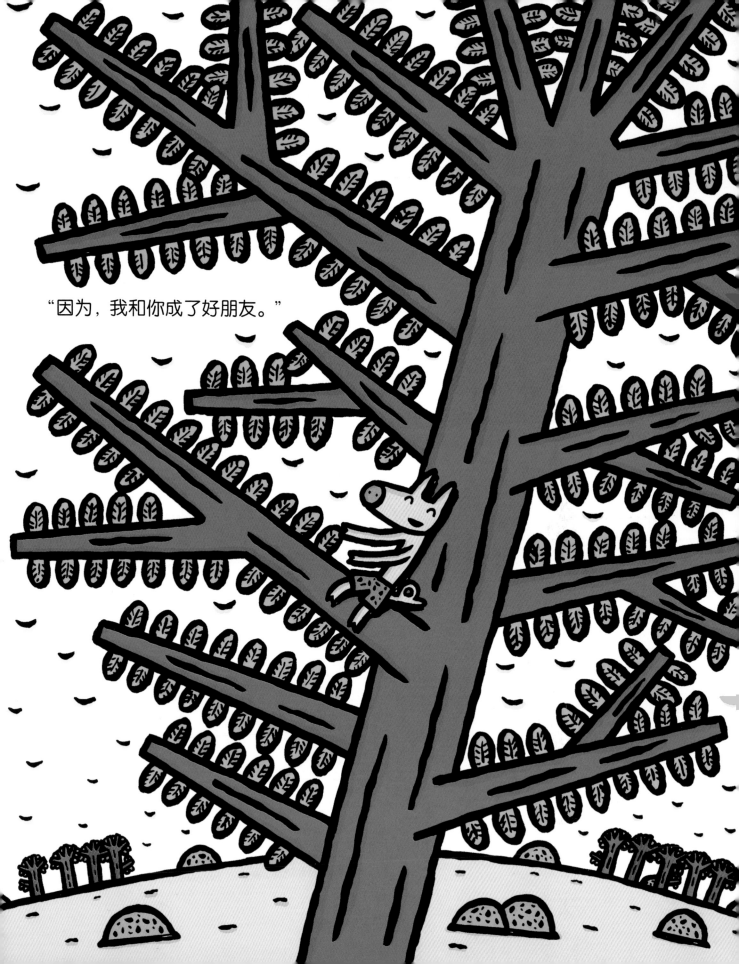

"因为，我和你成了好朋友。"

有五只很要好的狼，他们在商量吃晚饭的事。
"今天晚上，大家想吃什么呢?
我想吃的是，放了很多鸡蛋的松软的蛋包饭。"
巴尔刚一说完——

比尔就说道：
"我想要红通通的苹果，
带着皮一起啃着吃。"

接着——

布尔说道:
"我想吃放上大个炸虾的
热腾腾的盖浇饭。"

接着——

贝尔说道:
"我想吃的是,
用大家挖来的土豆做成的
软乎乎的炸土豆饼。"

接着——

保尔说道：
"我想吃的是，
烤得滋滋冒油的秋刀鱼。"

"大家想吃的东西都不一样啊。
这怎么办呢……有了！
猪怎么样？
我们吃猪吧！"
听巴尔这么一说——

五只狼喊过之后，
就在看起来猪会经过的地方
躲起来等着。

等了一会儿——

"哼——哼——哼——"
五只小猪走了过来。

"喂喂，今天有好吃的啦！
我们可以每人吃一只小猪！"
保尔高兴地说。

小猪们一个一个地被抓住了。

"嘻嘻嘻……
还是小猪好吃啊。"
贝尔说。

"嘿嘿嘿……我已经忍不住了，
现在就想吃了。"
布尔说着——

张开大嘴，

想一口把小猪吞下去。

就在这时——

比尔嘟囔着：
"真羡慕你啊……"

"比、比尔，你的猪呢？"
布尔问道。

"被它逃走了……"

"比尔,
我的猪……送给你了!
我的肚子不怎么饿。"
听布尔这么一说,
比尔就说道:
"我不要……
你刚才不是说了吗,
'**已经忍不住了,
现在就想吃**'。"

"就是啊！躲开躲开，
我不太喜欢吃猪肉，
把我的猪送给比尔。"
贝尔刚说完，
比尔就说道：
"我不要……
你刚才不是说了吗，
**'还是小猪好吃啊'**。"

"就是嘛！让一让。
我吃不下整只猪，
把我的猪送给比尔。"
保尔说道。

"我不要……
你刚才不是说了吗，
'**我们可以每人吃一只小猪**'。"
比尔说。

"说的是啊！躲开躲开。
我今天不想吃猪，
把我的猪送给比尔。"
听巴尔这么说，
比尔说道：
"我不要……
当初第一个说'**我们吃猪**'的
不就是你吗……"

"不对，我最初说的是
'**想吃松软的蛋包饭**'。"
巴尔这么一说，
布尔也说：
"最初想吃的东西，
我说的是'**热腾腾的盖浇饭**'。"
贝尔也说：
"我最初说的是
'**软乎乎的炸土豆饼**'。"
保尔也说：
"我想吃的是
'**滋滋冒油的秋刀鱼**'！
比尔，你说想吃什么来着？"
比尔小声说：
"苹果……
带着皮一起啃……"
他刚一说完——

巴尔就喊了起来：
"苹果！原来是苹果。
嗯，嗯，和这么瘦的猪相比，
苹果要好吃多啦！
大家都喜欢苹果，苹果最棒啦！
现在大家就去摘苹果吧！"
巴尔的话音刚落——

放下小猪，
跑去摘苹果了。

清爽的风，
轻轻地吹拂着五只狼的脸颊。

图书在版编目（CIP）数据

赞成！/（日）宫西达也著；朱自强译 . — 青岛：
青岛出版社，2015.11
（绘声绘色精选图画书）
ISBN 978-7-5552-1867-8

Ⅰ . ①赞… Ⅱ . ①宫… ②朱… Ⅲ . ①儿童文学 – 图
画故事 – 日本 – 现代 Ⅳ . ① I313.85

中国版本图书馆 CIP 数据核字 (2015) 第 074699 号

**SANSEI!**

山东省版权局著作权合同登记号　图字：15-2012-032号

| | |
|---|---|
| 书　名 | **赞成！** |
| 丛 书 名 | 绘声绘色精选图画书 |
| 著　者 | [日] 宫西达也 |
| 译　者 | 朱自强 |
| 出版发行 | 青岛出版社 |
| 社　址 | 青岛市海尔路 182 号（266061） |
| 本社网址 | http://www.qdpub.com |
| 团购电话 | 18661937021　0532-68068797 |
| 策划编辑 | 谢　蔚　刘怀莲 |
| 责任编辑 | 刘怀莲 |
| 特约编辑 | 谭俐婷 |
| 装帧设计 | 稻　田 |
| 印　刷 | 青岛名扬数码印刷有限责任公司 |
| 出版日期 | 2015 年 11 月第 1 版　2020 年 2 月第 24 次印刷 |
| 开　本 | 16 开（889mm×1194mm） |
| 印　张 | 2.25 |
| 字　数 | 45千 |
| 书　号 | ISBN 978-7-5552-1867-8 |
| 定　价 | 16.00 元 |

编校质量、盗版监督服务电话：4006532017　0532-68068638
本书建议陈列类别：图画书